새벽녘 꽃집

새
벽
녘

꽃
집

나는 겨울 끝에서 봄으로 들어서는 꽃집 앞에 서 있었고

윤
욱
식

시
집

당신의 눈빛은 쌓여가는 눈꽃들을 녹이기에 충분했다

꽃
집
에

불
을

켜
며

당신 생각이 새벽녘에 다다르면 꽃집에 불이 켜졌다

무궁화 꽃이 피었습니다

당신이 말했습니다
무궁화 꽃이 피었습니다

뒤돌아선 당신을 바라보며
누구보다 빠르게 달려갑니다

당신이 말했습니다
무궁화 꽃이 피었습니다

당신이 뒤돌아본 순간
모든 것이 멈춰버렸습니다

당신이 말했습니다
무궁화 꽃이 피었습니다

나는 멈추지 않고 달려갑니다
당신과 새끼손가락 걸고 싶어서

새끼손가락 걸고
당신에게 말했습니다

무궁화 꽃이 피었습니다

꽃가루

당신이
나를
스치면
이상하게
코가 간지러웠다

파도

네가 겨우 돌 하나 던지면
작은 물결 하나가 설레어서
마음속엔 파도가 일렁였다

그렇게 하루에도 몇 번씩
다가오고 물러서는 너는
파도처럼 내 마음을 덮쳐버렸다

봄여름

소매가 길어진 윗옷과
반으로 짧아진 바지가

전혀 다른 두 계절이
전혀 다른 너와 내가

잘 어울리는 계절이다

눈

움푹 파여 물이 고인 내 마음에 네가 내린다

온 세상을 새하얗게 덮어놓고
내 마음에 닿아 녹아드는 네가

내 마음을 얼마나 크게 만드는지
도저히 너를 뿌리칠 수가 없구나

스며드는 너를 헤아릴 수 있을지
걱정이 앞서지만 내 마음은 더욱더
크게 되어 네 마음을 안아줄 것이다

네가 와서 내 마음은 웅덩이가 되었다가
호수가 되었다가, 강이 되었다가
바다가 되었다

꽃그늘

그늘 중에 그늘은 꽃그늘이다
꽃 아래 자그마한 저 그늘이
나에게는 커다란 안식처다

단풍잎

나는
푸르러야지

푸르르고
푸르르고
푸르르다

너의 눈빛에
흠뻑 물들어야지

봄겨울

꽃은 이타적으로 피어나서
이기적으로 시들어버린다

독일창포

네가 꽃이라길래
나도 꽃이 되기로 했다

나도 꽃이 되는 날
꽃밭에서
꽃들의 축하받으며
우리 둘이 걸어가자

미소

너의 미소를 다 모으면 꽃밭 되더라

이유

웃어도 예쁘고
울어도 예쁘고
가만히 있어도 예쁘다

그래서 너는 꽃이다

클레마티스

당신의 말과 행동 하나하나에는
항상 꽃말이 피어난다

당신

깍짓방을 들르지 않아도 충분히 예쁜 꽃

유홍초

너의 가방을 들어줬을 뿐인데 꽃바구니가 들려있고
너의 작은 손을 잡았을 뿐인데 꽃다발이 가득하고
너의 웃음소리가 들렸을 뿐인데 꽃가루가 날리고
너의 살내음이 스쳤을 뿐인데 꽃향기가 스치고
너와 걸어갈 뿐인데 가시밭길도 꽃길 되는구나

한마디

점점 일상에 스미는 너의 한마디
숨소리처럼 스쳐가는 너의 한마디
아무 의미 없이 던진 너의 한마디

그 한마디를 항상 꽃병 안에 담아두었다
물과 빛과 사랑주고 꽃이 피어나면 나도
너에게 의미 있는 말 한마디 던지고 싶다

눈꽃

이 세상이 보고 싶어 많이도 내리는구나
짙어지는 하얀 눈빛이 내 마음과 같구나

악수

당신과 악수하면
꽃이 피고 진다

지지 마라
지지 마라

손잡고 놓질 않는다

시클라멘

산 정상에 오른 사람들은 알 것이다
구름의 뒷면이 얼마나 아름다운지

그 아름다움을 잊지 못해 산 정상에 오르고 오른다
오늘도 산 정상에서 너의 뒷모습을 찾아 헤맨다

당신생각

마음이 간지러워 들여다보았더니
매일매일 꽃이 피어나고 있었습니다
마음이 몰래 당신을 생각했나 봅니다

시선

따가운 햇살 맞으며 피어난 꽃은
때론 남들의 시선이 더 따가웠다 말하네
그럼에도 피어나줘서 고맙다고 나는 말하네

꽃받침

너는
두 손으로 턱을 받치고는
꽃받침이라 말하지만

나는
고개를 끄덕일 수 없다

네가 앉아 있는 의자가
네가 신고 있는 신발이
네가 걸어가는 이 길이

꽃받침인지
너는 모르다

들장미

시는 여백이 많다
그래서
자꾸 생각하게 되고
더 조심스러워진다

너는
한 편의 시에 가깝다

먼지잼

꽃잎에 부딪히는
빗방울처럼
너에게 부딪히고 싶다

모다깃비로 내리면 꽃잎이 아플 테니
먼지잼으로 몇 방울 부딪히다 말아야지

나는 꼭 꽃잎 위에 맺히고 말아야지

소년, 소녀

소년은 꽃을 좋아하는 소녀에게 꽃다발을 선물했다

기쁨도 잠시 소녀는 시들어가는 꽃을 안쓰러워했다

소년은 그런 소녀의 손을 잡고 어디론가 향했다

꽃밭이었다

하지만 꽃밭에 있는 꽃도 꺾어버리면 시들어버릴 테니

소년은 주머니에서 무언가를 꺼내 소녀에게 선물했다

거울이었다

봄꽃향기

꽃잎을 문지르면
봄 향기가 난다

너의 머리를
쓰다듬으면
꽃향기가 난다

꽃이 그렇다길래

꽃이 미소 짓길래
나도 미소 지었다

꽃이 울고 있길래
나도 울어버렸다

꽃이 그렇다길래
나도 그랬다

봄산책

무르익은 봄날

사랑하는 마음이 궁금하거든
벚나무공원으로 산책하러 가자

나는 쉴 틈 없이 벚나무를 흔들 테니
너는 떨어지는 벚꽃잎을 헤아려보아라

헤아릴 수 없게 떨어지는 벚꽃잎
그게 내 마음이다

온통

밤바다에 달과 빛이 있다면
마음속에는 너와 네가 있다

기도

당신을 헤매기도 했다
당신을 사랑하기도 했다
당신과 이별하기도 했다
당신을 기다리기도 했다
당신이 보고 싶기도 했다
당신을 그리워하기도 했다
당신이 행복하길 기도했다

봄날

긴 겨울이 지나야
따스한 봄이 온다고
함부로 말했던 사람

내 앞에 나오라 했더니
당신이 나오면 어떡합니까
나에게도 봄이 옵니다

선물

혹 그대가 아파서 우는 날이 온다면
나는 마음이 아파 꽃을 선물할 것입니다
깊게 파인 상처에 꽃을 심어줄 것입니다

花病

그대가 보고 싶은 날에는
마음이 그대 집 앞을 찾아가 기웃거렸지요
가고 싶어도 갈 수 없어서

갯쑥부쟁이

당신이 보고 싶어
내 마음은 그리움을 머금었나 봅니다
그리움을 머금으면 머금을수록
당신의 모습이 선명하게 다가옵니다

미안함이 나를 눈멀게 하면
그리움이 다시 불을 밝힙니다
미안함이 내 발목을 부러뜨리면
그리움이 다시 나를 부축합니다

당신이 보고 싶어
지금 당장 달려가 당신을 마구 껴안고 싶습니다

아파도 좋은 날

이유 없이 아픈 날에는
그대의 선한 눈동자가
내 마음을 비집고 들어와
나를 더 괴롭게 했습니다

벚나무

봄바람이 분다
벚꽃이 흩날린다

예쁘다
예뻐

예쁨 흘리고 다니는
당신은 벚나무

섬

그대가 생각 날 때마다 꽃고비를 띄웁니다
하루 사이 그대가 건너올 길이 생겼습니다
얼른 오시지요 그대만 오면 우린 단둘입니다

꽃이 없는 나무 곁에

오늘도 예쁜 당신
아마 내일도 예쁘겠지요

칼랑코에

오늘 올해의 두 번째 눈이 내립니다
사람들은 첫눈이 아니라 그런지
반갑지도 설레지도 않은가 봅니다

나는 지금 내리는 하얀 눈들이
제일 설레고 반가운데 말입니다

당신을 만나는 날인가 봅니다
오늘 눈들이 유독 하얗습니다

아르메리아

수화를 보고도 말할 수 없는 나 또한 다를 것이 없다
점자를 만져도 읽을 수 없는 나 또한 다를 것이 없다
우리는 서로 다를 것이 없기에 서로를 배려해야 한다
당신도 나의 마음과 다를 것이 없기를 바라봅니다

나팔수선화

당신을 향한 마음은 손톱만 같아서
잘라도 잘라도 자라나나 봅니다

손톱을 소리 내어 조각내고 조각내면
당신을 향해 도망치다 소리 없이 넘어집니다

차가운 바닥으로 떨어져 다시 조각나는
마음의 조각들을 당신이 모아주길 소망합니다

낙엽도 꽃잎 되는 날에

가을의 끝자락에서
문턱을 넘어 겨울로 가던 날

대롱대롱 매달려있던 낙엽 하나가
당신의 머리 위로 떨어져 꽃잎 되었습니다

낙엽도 꽃잎 되는 날에
문턱 앞엔 봄이 왔습니다

매화

빛을 들고 어둠을 안다고 말하지 마라
빛에 눈멀지 말고 어둠에게 인사해라

꽃을 들고 꽃말을 안다고 말하지 마라
꽃을 꺾지 말고 꽃들에게 인사해라

삼나무

세상에 지지 않는 꽃은 없으니
내가 지지 않는 봄이 돼야지

봄이 되어 너를 부르고 부르면
꽃이 활짝 피어나 웃어주겠지

채운

하늘이 얼마나 넓은지 알아보기 위해
여행을 떠난 구름처럼

당신이 얼마나 좋은지 알아보기 위해
여행을 떠난 나는

구름처럼
당신에게
스며들었다

봄

계절은 당신을 데려와 색을 바꿔버렸습니다

봄맞이꽃

겨울 밖을 나오니
꽃이 피어있었다

그대가 오려나보다
벌써부터 보고프다

카라듐

어느새 긴 새벽을 넘고 넘어
밤하늘 되어 버린 내 마음에
그대의 모습이 들어와 버렸습니다

모습 하나하나 마음속에서
선한 빛을 내며 박혀버렸습니다

아무도 살 수 없는 차가운 달마을에
그대가 발을 내디뎠습니다

크리스마스로즈

유독 말수가 없던 사내는
그날따라 쉴 틈 없이 문장들을 만들어냈다
말하는 사이 틈이 생기면
그 틈 사이로 누군가 떠나갈 것만 같았다

백리향

너는 봄이 좋다고 했고
나는 네가 좋다고 했다

달맞이꽃

나무는 봄을 기다린다
활짝 피어난 예쁜 꽃송이 보여주려고

나무는 여름을 기다린다
햇볕 맞으며 잎사귀로 그늘 안겨주려고

나무는 가을을 기다린다
낙엽으로 바스락바스락 속삭여주려고

나무는 겨울을 기다린다
내리는 하얀 눈이 앉았다 쉬고 가라고

나무는 기다린다

용담

나는 보았다
뙤약볕을 온몸으로 맞고 있는 꽃을

나는 보았다
꽃보다 선명한 꽃의 그림자를

살구꽃

꽃은 자신이 꽃인 줄 모른다고 하길래
난생 처음 보는 손거울을 보여주었다
붉어진 꽃은 흔들흔들 고개를 흔들거렸다

에린지움

모두가 잠든 이 새벽에
나는 왜 잠들지 못하는가
나는 왜 꽃을 생각하는가

새벽녘 꽃집

나는 겨울 끝에서 봄으로 들어서는 꽃집 앞에 서 있었고
당신의 눈빛은 쌓여가는 눈꽃들을 녹이기에 충분했다

아침부터 다정스레 불어온 봄바람이 꽃집 문을 두드리면
마중 나간 꽃말들이 새벽녘이 돼서야 당신을 배웅했다

당신 생각이 새벽녘에 다다르면 꽃집에 불이 켜졌다

페튜니아

첫눈이 내린다
벚나무는 진동한다
분명 겨울이 오는 소리다

다붓하게 더 다붓하게
첫눈이 내려앉는다
벚나무는 잠시 눈을 감는다

다붓하게 피어난
눈꽃이 진동한다
분명 봄이 오는 소리다

겨울편지

겨울날 창가에 앉아서
창문에 입김을 더하고
입김에 살결을 칠하고
창문에 우표를 붙이면

창 밖에 당신이
그리고 봄날이
나에게 올까요

낙화

참 묘하다

너만 있던 세상이
너만 없는 세상이

까마득하게 잊었다가도
다시 피어나는 예쁜 꽃송이가

옆에서

너의 옆모습을 바라본다
앞모습도 뒷모습도 아닌
너의 옆모습을 바라본다
계속 옆모습만 바라본다

변함없이
계속해서
옆모습을 바라본다

곁에서
옆에서
너만을 바라본다

어여쁜 꽃

어여쁜 것은 저 꽃처럼 꽃을 피우려 애쓰지 않는다
너처럼 어여쁜 꽃은 말이다

아부틸론

꽃을 보는 내 마음은 같다

보고 싶다고, 가고 싶다고
칭얼대도 뭐든지 괜찮다

계절에 같이 시들어가길
주어진 시간을 함께 하길
우리는 이대로 온전하길

꽃을 보는 내 마음은 같다

비비추

시선이 허공만을 꿰뚫고 질주하다
너의 눈동자에 부딪혀 멈춰버렸다
더 이상 꽃들이 숨을 거두는
비명소리는 들리지 않았다

청춘

봄에 피는 꽃은
쉽게 상처받지만
쉽게 아물기도 한다

봄, 여름, 가을, 겨울
그래서 봄은 가장 어린가 보다

헛되지

피어나는 저 꽃은 떠나는 날을 알고 있는 듯했다
시드는 날까지도 열심히 피어나는 꽃은 아름다웠다

천일홍

세월이 봄을 빼앗아 버린다는 것을 깨달았다 세월은 소리 없이 잔인해서 꽃마저도 숨을 거둔다 꽃이 숨을 거두는 순간 나는 누군가에게 나의 사계절을 읽어주고 싶다 그리고 그 누군가는 너였으면 싶다

꽃비

꽃잎이 떨어지는 길에는 이야기가 있었다
시간이 지나 그 길에 꽃잎은 없었지만
담을 수 없는 이야기는 남아있었다

고백꽃

고작 꽃 한 송이가 이렇게도 무겁습니다
고작 꽃 한 송이에 마음이 벅차오릅니다
고작 꽃 한 송이가 수줍은 듯 웃었습니다
고작 꽃 한 송이에 나도 웃어버렸습니다
고작 꽃 한 송이에

앰브로시아

내가 너를 사랑하고
네가 나를 사랑해서
그래서 나는 기쁘다

흑종초

달이 내려앉은 밤
잠들었던 흙이 뒤척인다
향기도 느낄 수 있는 꿈인가보다

해가 밝아온다
꽃이 시들어간다
꽃아, 꿈이어도 좋으니 내내 머물러라

휴식

꽃은 다시 피어나기 위해

잠시 숨을 거두어야만 한다

다시 피어나기 위해

13월의 우리

아무도 모르는 달에
아무도 없는 계절에
너와 꽃피우고 싶다

삶

유채꽃은 봄을 느끼며 피어나고 시든다

봄은 살아가기보다 느끼는 것이라는 것을

유채꽃은 이미 알고 있는 것이다

너의 예보

예측할 수 없어 힘들 때도 있지만
어쩌면 그래서 더 좋은 건지도

사계

봄날의 입술은 항상 밝았고
여름의 입술은 유독 붉었고
가을의 입술은 계속 갈라졌고
겨울의 입술은 왠지 창백했다

카틀레야

당신은 두 손으로 머리를 올려 묶으며
왜 빤히 쳐다보냐며 투정을 부리지만

나는 생전 처음 보는 것이 눈이 부셔
한참을 가만히 바라만 보고 있습니다

순간순간마다 어쩜 이리 예쁜가요
한참을 가만히 바라만 보고 있습니다

꽃이 될 너에게

비 오는 어느 날 당신도 서점을 찾는다면
우리는 한 번쯤은 마주쳤을 것 같습니다
우연일지 인연일지 알 수 없는 일이지만
가끔 비가 오고 당신도 서점을 찾는다면
우리는 연인이 될 수도 있을 것 같습니다
언젠가 당신을 마주하게 될 날은 아마도
빗소리가 맑게 들려올 것만 같습니다

이 버릇

제가 당신의 사소한 버릇까지 기억하는 걸 보니 아마도 당
신의 사소한 버릇까지 기억하는 버릇이 생긴 것 같습니다 부
쩍 당신을 생각하는 시간이 많아진 요즘 저는 이 버릇과 여
든까지 같이 가기로 다짐했습니다

베고니아

어두운 밤바다에
검은색 색연필로
내 마음을 적는다

너는 달처럼 밝고 환해서
눈빛으로 바다를 물들이고
내 마음까지 품어버렸구나

콩꽃

겨울의 뒤뜰 위로 눈이 내리고
눈 뭉치 안에 시간을 담아 너에게 던진다
이렇게 시간을 던지며 너에게 달려가면
봄의 뒤뜰 위엔 너와 내가 있을까

장미꽃

너의 가시가 독이 될지
너의 송의가 해독제가 될지
너의 손을 잡아보기로 했다

사칙계산

가슴속에 이기심으로 가득 찬 마음은 빼고
천천히 서로에게 사소한 버릇들을 더하고
당신과 나의 젊음의 무게를 곱해가며
영원히 당신과 내 마음을 나누고 싶다

당신 앞에선 계산적이긴 싫지만
나는 계산을 거듭하고 거듭하여
답을 찾아 사랑이라 답해주고 싶다

달 꽃

계절이 지나 꽃잎이 져도 입가엔 미소가 번진다
내 마음 꽃 한 송이는 당신 손에서 피어났으니

당신이 밝아서
당신이 환해서

내 마음은 시들 틈이 없구나

마주앉아

세상에 모든 꽃이 시들었나 봐요
요즘 꽃값이 하늘을 치솟습니다

마지막 꽃은 내 앞에 있나 봐요
매일 마음이 하늘을 치솟습니다

.

달

밤이 되면 항상 너를 바라본다

별똥별들은 자꾸 떨어져도
너는 변함없이 제자리구나

오늘은 네가 떨어지지 않는 이유가 궁금해
잔디밭에 누워 너를 바라보다 잠이 들었다

풀꽃들이 뛰어노는 꿈속에서
너는 잔디밭과 가까워져만 갔고
그 순간 나는 지구의 멸망을 보았다

그러니 오늘도 내일도
떨어지지만 마라
내 곁에서

말하지 않아도

나는 사실 시집을 더 좋아하지만 당신이 소설책을 좋아한다 말하면 소설책도 읽을 것입니다

나는 사실 핫초코를 더 좋아하지만 당신이 커피를 좋아한다 말하면 커피도 마실 것입니다

나는 사실 깍지 낀 손을 더 좋아하지만 당신이 포옹을 좋아한다 말하면 힘껏 안아줄 것입니다

나는 사실 산을 더 좋아하지만 당신이 바다를 좋아한다 말하면 바다를 헤엄칠 것입니다

나는 사실 꽃비를 더 좋아하지만 당신이 비를 좋아한다 말하면 우산을 하나만 준비할 것입니다

나는 사실 겨울을 더 좋아하지만 당신이 여름을 좋아한다 말하면 선크림을 살 것입니다

나는 사실 당신을 더 좋아하지만 당신이 나를 좋아한다 말
하지 않아도 당신을 사랑할 것입니다

슈미트티아나

홀로이도 빛나는 네가 좋아서
너에게 나의 사랑을 전해주고
너의 사랑을 가져오고 싶다
바람 따라 너에게 닿고 싶다
그렇게 매일 파도치고 싶다

첫겨울

늠렬한 바람에 손에 쥐고 있던 꽃다발을 놓쳐버렸다

좋음

환하게 웃는 너의 미소를 보면
네가 좋다가도 갑자기 좋았고

밝게 빛나는 너의 눈빛을 보면
어쩔 땐 좋고 어쩔 땐 좋았다

그냥 막 좋다가도 좋고 좋았다

간 사랑

엎질러진 물을 담을 수 없듯이
엎질러진 술도 다를 것이 없더라

고통 없이 스미는 네가
나는 뭐가 그리 좋은지
설레어서 그만 입을 맞춘다

붉어진 두 뺨이 심장박동을 알리고
너와의 입맞춤이 그리워 한입 두입
네 입술이 내 마음속으로 타들어간다

내 눈앞을 흐릿하게 만들고 너를 쏟아버리게
만든 너는 담아도 담아도 담아지질 않더구나

고통도 없이 버려진 간은
네가 떠나고 매일이 통증이다
에이 간만 버렸다 술이나 한잔하러 가자

봄으로

머리 위로 눈꽃이 내린다
바람이 분 것은 아니다

겨울을 덜어내고 가벼워진
나무가 미소 짓는 것이다

나무는 봄으로 갈 채비를 서두른다
어린 나뭇가지 끝에 벌새가 내려앉았다

로단테

당신은 꽃 없이도 살 수 있는가
내게 꽃 없는 세상은 큰 비극이다
그러니 당신과 평생을 살아야겠다

꽃
집
에

불
을

끄
며

이 새벽녘 꽃집의 꽃말과 글들은 향기 없는 가화일 뿐입니다

당신이 내게로 와 향기 나는 실화가 되어주길 기대합니다

작가의 말

언젠가 꽃이 될 너에게
피어나줘서 고맙다.

2017년 겨울
윤 욱 식

새벽녘 꽃집

발 행 2017년 1월 20일
저 자 윤욱식

펴낸곳 주식회사 부크크
등 록 2014.07.15.(제2014-16호)
주 소 경기 부천시 원미구 춘의동 202 춘의테크노파크2단지 202동 1306호
전 화 (070) 4085-7599
이메일 info@bookk.co.kr

ISBN 979-11-272-0974-2
값 9,000원

www.bookk.co.kr